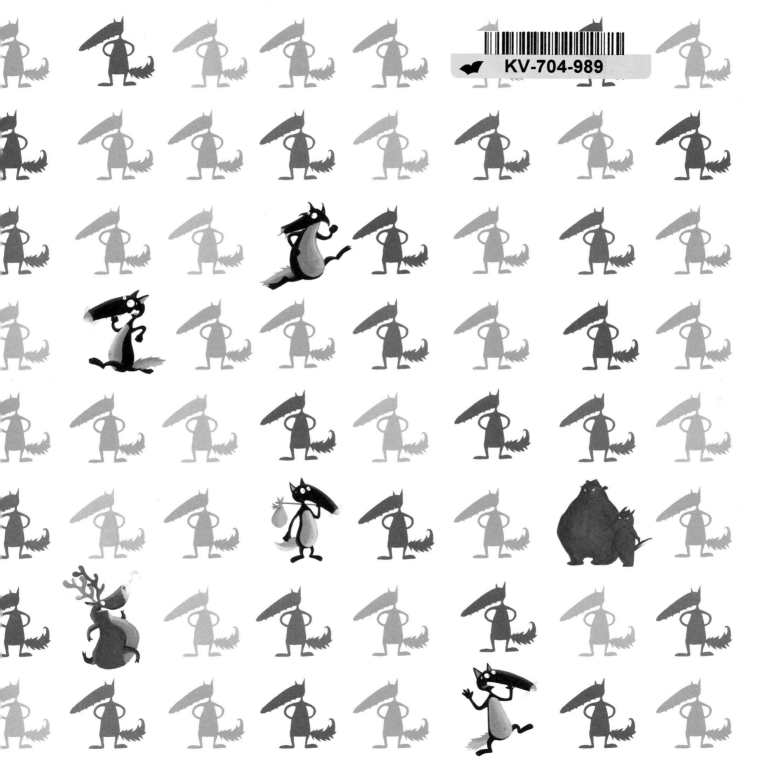

An Mac Tíre
a raibh faitíos an domhain air

Téacs le Orianne Lallemand
Léaráidí le Éléonore Thuillier

LEABHAR
BREAC

Bhí mac tíre óg ann fadó, Mactíre an t-ainm a bhí air, agus bhí faitíos air roimh gach uile rud. Chuirfeadh gach uile thorann scanradh air, agus théadh sé i bhfolach nuair a thosaíodh na mic tíre eile ag glamaíl.

2

Fadhb a bhí ansin dó.

Bhí faitíos air roimh an dorchadas. Chomh luath agus a thiteadh an oíche, théadh sé a chodladh. Nuair a bhíodh sé faoin bpluid, d'fhágadh sé an lampa lasta ar eagla go mbeadh ollphéist i bhfolach faoina leaba … réidh lena shlogadh!

Mactíre bocht!
Bhí faitíos air roimh a scáth féin, fiú!

Ollphéisteanna brúidiúla, nathracha nimhe,
sciatháin leathair chraosacha,
shíl sé go raibh an choill lán leo.

Mar sin ní raibh sé sásta dul amach ag piocadh muisiriún ina aonar, ná baol air!

Maidir leis an bhfiach, níorbh fhiú cuimhneamh air.
Nuair a d'fheiceadh sé ainmhí giobach ribeach amach
roimhe, ritheadh sé uaidh! Agus ar aon chaoi, níor thaitin
feoil amh leis.

Níor chualathas trácht ar a leithéid le cuimhne na mac tíre!

'A Mhactíre, a stór,' arsa a mhamaí, lá. 'Ní féidir leat leanúint ar aghaidh mar seo. Caithfidh tú an domhan a fheiceáil, agus aghaidh a thabhairt ar an bhfaitíos. Ní bheidh tú sásta anseo.' 'Tá muinín agam asat,' arsa a athair. 'Éireoidh go geal leat.'

An mhaidin dár gcionn, thug Mactíre aghaidh ar an mbóthar, agus faitíos an domhain air.

Ba ghearr gur chuala Mactíre guthanna.
Bhí dhá chruth scanrúla ag teacht ina threo.
Tháinig faitíos a chraicinn air agus léim sé isteach sa tom.
ÚÚ! ÁÁ! ÁÁ!
Tháinig sé anuas sna neantóga!

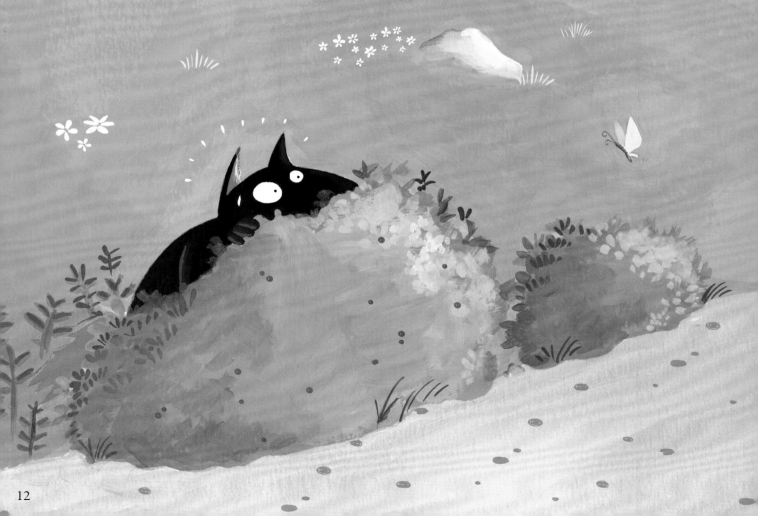

'Ó! Ná habair,' arsa an mac tíre go critheaglach. 'Is cinnte gur robálaithe iad, bainfidh siad an cloigeann díom.'

Tháinig béar agus sionnach air
sna neantóga.
'A mhic tíre chóir,' arsa an béar,
'níl tú an-mhaith ag dul i bhfolach!'
'Taispeánfaidh mise duit cén chaoi
lena dhéanamh,' arsa an sionnach.

Agus é dóite ag na neantóga, tháinig Mactíre amach ar an
gcosán. Agus — iontas na n-iontas — bhí an-spraoi aige leo!

Thug Mactíre aghaidh ar an mbóthar arís agus é go breá sásta leis féin. Ach níor mhair sin i bhfad, mar bhí an oíche ag titim.

'Ó bhó go deo!' arsa an mac tíre leis féin.

'Táim i m'aonar sa choill, cén chaoi a dtiocfaidh mé slán?'

Chuala sé glór lena thaobh.

'**BÚHÚHÚ!**' arsa an glór. 'Tá an mac tíre tagtha, cén chaoi a dtiocfaidh mé slán?'

Bhreathnaigh an mac tíre agus chonaic sé coinín beag sáinnithe i súil ribe lena thaobh.

'Muise, ní droch-mhac tíre mé,' ar sé. 'Scaoilfidh mé as an ngaiste sin thú!'

Go tobann, scal ga solais ar an mbeirt acu.

Uafás na n-uafás! Bhí sealgaire ina sheasamh amach rompu.
Nuair a chonaic sé Mactíre, lig sé béic as agus thit an gunna
as a lámh. Agus a chroí ag bualadh, chuaigh Mactíre go dtí
an coinín, scaoil sé as an ngaiste é,
agus theith siad leo sa
dorchadas.

Rith Mactíre chomh maith is a bhí ina chosa. Ar deireadh, tháinig sé ar phluais sa choill. Shocraigh sé féin agus an coinín bocht scanraithe iad féin isteach inti. Chun an coinín a chur ar a shuaimhneas, chaith sé an oíche ag léamh scéalta dó.

Nuair a thit an coinín beag a chodladh, é brúite suas go teolaí ina aghaidh, dúirt Mactíre leis féin nach raibh an oíche chomh scanrúil sin.

An mhaidin dár gcionn, chabhraigh Mactíre leis an gcoinín teacht ar a mhuintir. Thug Bean Uí Choinín cairéid, sméara dubha agus cnónna dó don aistear. Den chéad uair, thug Mactíre aghaidh ar an mbóthar go dóchasach.

Bhí sé ag siúl leis nuair a chuala sé **CRAIC ... CRAIC ... CRAIC**. 'Cad a dhéanfaidh mé?' arsa Mactíre go heaglach. 'Sílim go gcloisim gruagach mór feargach!'

'**ÁAAAAH**!' a bhéic Mactíre nuair a tháinig an t-arracht as na crainn os a chomhair amach.

'**ÁAAAH**!' a bhéic an créatúr scanraithe. Ní arracht a bhí ann, ach mac tíre mór!

'Bhain tú preab asam!' arsa an mac tíre mór.
'Is mise Mac Mór. Cén t-ainm atá ortsa?'
'Mactíre,' arsa Mactíre, de ghlór caol tanaí.

AN FHORAOIS
MHÓR

'Feicim go maith gur mac tíre thú,' arsa Mac Mór,
agus é ag gáire. 'Ach cén t-ainm atá ort?'
'Mactíre, sin an méid,' arsa Mactíre.
'Dia duit, a Mhactíre Sin an Méid,' arsa Mac Mór
agus é ag gáire. 'Gabh i leith go gcuirfidh mé mo
chairde in aithne duit.'

I bplásóg choille, bhí buíon bhreá cairde i mbun picnice.
'A chomrádaithe,' arsa Mac Mór, 'tá cuairteoir againn.
A Mhactíre, seo é Vailintín, an té is cliste anseo. Seo é Cóilín
— tá sé beagáinín cúthail. Seo é Aindrias breá,
agus is mise an rógaire Mac Mór!'

Chrom Mac Mór a
cheann agus thosaigh
na mic tíre eile ag gáire.
Bhreathnaigh Mactíre
orthu ar fad agus thuig sé go
raibh sé tagtha go deireadh an aistir.

Agus é ina shuí go teolaí, d'inis Mactíre a scéal féin do na mic tíre eile. D'inis sé dóibh faoin eagla a thagadh air, faoin magadh a dhéanadh a chuid deartháireacha faoi, agus faoin gcaoi ar tháinig sé chomh fada seo.

Milseáin
Ródheasa

Nuair a bhí a scéal inste aige, arsa Vailintín, 'Táim ag ceapadh, a chomrádaithe, go bhfuil cara nua sa chonairt! Agus táim cinnte go mbeidh an-spraoi againn le chéile!'

Criospaí
na Coille

Agus sin mar a tharla Mactíre san Fhoraois Mhór. Ó shin i leith, bhí sé sásta leis féin, agus ní raibh faitíos air roimh aon rud....

Bhuel ... **BEAGNACH!**

31

Eagarthóir Ginearálta: Gauthier Auzou
Eagarthóir Sraithe: Laura Levy
Cúntóir Sraithe: Marjorie Demaria
Déantús: Lucille Pierret
Dearadh: Mylene Gache
Eagarthóireacht: Lisa Cornacchia
Aistriúchan: Séamas Ó Scolaí

ISBN 978 1 911363 33 0

Tugann COGG tacaíocht airgid do Leabhar Breac

An Chomhairle um Oideachas
Gaeltachta & Gaelscolaíochta

Leabhar Breac, Indreabhán, Co. na Gaillimhe
www.leabharbreac.com